COLLEZIONE DI TEATRO

70.

Titolo originale *American Blues*

ISBN 88-06-07484-9

Tennessee Williams

I «BLUES»

A cura di Gerardo Guerrieri

Giulio Einaudi editore

Chi non conosce New Orleans? C'è perfino, oggi, a Roma, un'orchestra che si chiama « The Roman New Orleans Jazz Band ». New Orleans: dalle sue case malfamate di Basin Street sentí nascere il jazz: capitale della leggenda! Dove, ingozzati di *marihuana* fino al collo suonatori negri dai nomi famosi come quelli di giocatori di *baseball* soffiavano congestionati spasimi nelle trombe o nei *saxos*, rantolando canzoni con raucedini inaudite. Epica! « The French Quarter », la città creola dove un secolo fa si cantava

This monsieur Gaetano
Who comes out from Havana

e si linciavano italiani. Filibustieri, avventurieri, e tutt'attorno, il delta del Mississippi, e la Louisiana, dove pochi anni fa Huey Long fece uno dei primi esperimenti di dittatura degli Stati Uniti. Troppo pittoresco. Ma questo pittoresco non tocca Tennessee Williams. Il suo occhio osserva con lucida intensità in questo bailamme di colori e di suoni cose ben definite, ben sue. Si vede da dove proviene (da Sherwood Anderson ma anche da Garcia Lorca e da Cecov: nomi che indicano alterne fasi della sua disposizione poetica) ma il suo campo è già diverso da quello di Sherwood Anderson: per quest'ultimo il Middle West, una società agricola in trasformazione industriale; per Williams il confine, il Sud, il porto di mare con incontri di civiltà e di razze. E lo stesso puritanesimo (le cui reazioni variano dal New England al Middle West a Brooklyn, come può riscontrarsi nel *Lutto si addice ad Elettra*, nel *New Englander* o in Arthur Miller) a ridosso del Messico s'è, direi, geograficamente trasformato, a contatto con la tentazione latina degli istinti. È un puritanesimo in pericolo, assediato da tutte le parti dalla seduzione di valori opposti. E la razza dei conquistatori, degli ex padroni di schiavi, dei pionieri, che trionfa nel Nord, qui deperisce, minata dalla decadenza. E oppone alle forze vitali la disperata difesa della dignità, dell'orgoglio, della forma. Fa barriera con tradizioni vecchie poco piú di un secolo, alle ondate continue che le assalgono incuranti dal basso. E ci si domanda: è un fenomeno che tocca soltanto la società aristocratica del Sud o tutti gli Stati? Ed è un caso di aristocrazia declinante, il risultato di un'altalena di classi, o un conflitto di generazioni in una classe?

Sentiamo, in *Purification* (un atto unico della raccolta *27 Wagons Full of Cotton*) il lamento dei pionieri:

> No: abbiamo lasciato entrare troppo mondo
> Dovevamo cingerci di siepi
> Guai ai conquistatori che trascurano di cingersi di siepi.

Il disagio di questi conquistatori che si accorgono di non essere piú soli, è accresciuto dal fatto che ormai, fatta la conquista, pare a loro che non resti nient'altro da fare:

> I nostri antenati
> Si batterono contro gli Indiani.
> Ora gli Indiani sono domati:
> Che ci resta da fare se non batterci contro le nostre ombre folli?

Cioè, la tradizione che si pietrifica e si isola, che non si trasforma in qualcos'altro, che diventa cerimonia e rito e conduce a poco a poco alla follia. È uno dei temi del discendente di pionieri Williams. Oltre al disagio, questi conquistatori hanno dei rimorsi. Sulla loro terra non piove da mesi. C'è un peccato da espiare. Qual è? Forse, viene da pensare, fu proprio la conquista. L'invasione, la terra strappata a popolazioni turbate nel loro corso di storia o preistoria, i numi del territorio profanati. Quelle ombre che sorgono dalla terra non sono quelle dei popoli sopraffatti o resi schiavi che riprendono il sopravvento? È, ancora, un rimorso di Visipallidi? Poi scopriamo che la colpa fu una d'amore, e la trasgressione, di leggi naturali. Un incesto. Il fratello colpevole si uccide, in cerca della sorella scomparsa nelle vaste pianure dell'universo: la comunità è salva, il cielo placato torna a inondare di pioggia i campi dei conquistatori. Il meccanismo puritano è scattato di nuovo. La colpa del rimorso è stata, ancora una volta, aggiudicata al sesso. E il giudice, compiaciuto del dignitoso karakiri che gli ha evitato la sentenza, osserva:

> Qui, in questa pianura,
> In mezzo a queste montagne

Abbiamo suscitato in noi
Un sentimento d'onore
Piú profondo della legge.
Questo è bene.
E fortifichiamolo, questo sentimento, per il tempo
In cui gente inferiore a noi,
Gli invasori – ladri senza onore e assassini senza coscienza –
Verranno ad attentare a quest'onore.
Tutto il resto si potrà aggiustare, purché gli uomini conservino l'onore.

L'onore quindi per questi pionieri è tutto: è l'orgoglio, la fedeltà alla propria casta, la capacità di rinnegare i propri personali sentimenti, di smentire la verità in nome di una nobiltà e di una tradizione di cui ci si fa scudo. L'onore come scuola d'ipocrisia? Si prenda una di queste eroine di Williams, vecchie signore figlie dei *settlers*, che sentono in sé la dignità di una tradizione divenuta storia, ma troppo presto finita e ahimè inoperante, perché « gli indiani sono domati » e gli assassini, i ladri, la feccia del proletariato europeo, negro, ebreo, indiano non sono stati sopraffatti, anzi hanno preso paurosamente il sopravvento: ed ecco queste due civiltà messe di fronte, l'una, quella degli antichi conquistatori, divenuta fragile e sensitiva per una specie di rapida e paradossale evoluzione storica, l'altra, quella dei già vinti, all'assalto, senza timore né cura di tradizioni, nel culto della violenza, con ininterrotto impeto vitale. Che difesa può opporre l'esangue figlia del pioniere a questa ondata che l'assale alle spalle? O la figlia dell'emigrante che appena toccato il suolo d'America si sente travolta da quell'instabilità, abbandonata dalle tradizioni in cui era nata? I personaggi di Williams si trovano qui, fra queste due categorie di *déracinés*: i deboli nell'età del ferro. Ma la loro sorte non sarebbe segnata come quella dei vecchi che gli antichi sfracellavano precipitandoli dalle montagne, se essi incontrassero un po' d'amore. Amore, che significa qui aiuto a riaccettare la vita, a riallacciarsi con la storia, a non perdersi nella memoria, nella nostalgia, nell'orgoglio. Senza portare l'interpretazione troppo in là, è evidente qui almeno una cosa, che una certa coincidenza di condizioni provoca in costoro uno stato anormale, morboso della sensibilità nel quale un trauma è una ferita mortale. Perché al trauma si allea una solitudine senza rimedio. Sia l'emigrante che l'ex aristocratico, si trovano nelle stesse condizioni di disagio e partecipano allo stesso martirio di vana ricerca della stabilità, della consuetudine, della norma cui erano abituati. E quando cedono, anche la loro capacità morale cede. E resiste in loro soltanto un istinto di felicità che li domina: e che non è altro che il loro istinto di conservazione trasportato nell'immaginazione; la realtà è smentita e si accetta di vivere nella favola.

Anche la morale, in questo processo, si è perduta: siamo al momento in cui i bisogni vitali sopprimono l'attività morale dell'individuo e lo spingono a riaffermare i propri desideri, con l'intensità di colui che sta per annegare. La figlia della signora Pocciotti, abbandonata dal fidanzato, non vive, come abbandonata dalla ragione ai soli sensi, che nelle braccia di lui, nella camera buia chiusa agli altri. Alle domande inorridite degli estranei la madre alza le spalle e risponde: « Le fa piacere ». A Lucrezia Collins fa piacere immaginare di essere giornalmente stuprata da un giovane che l'ha tradita in gioventú. È la commedia e la tragedia dell'adattamento. L'istinto di vita, sembrano dire queste storie di Williams, resiste in tutti i modi, si adatta alle condizioni piú mostruose: come quella della bambina orfana e prostituta della stazione ferroviaria in memoria di una sorella adorata, di cui vuol ripetere le gesta. Anche questa bambina ha una tradizione, un passato da difendere, come l'emigrante e l'ex moglie di piantatore di cotone. È proprio di questi *déracinés* restare appesi all'uncino della propria infanzia, cioè alla propria casa perduta. È una condizione americana questa, o una condizione umana? Lasciamo l'interrogativo sospeso, notando però che alla speranza cecoviana Williams risponde con Rimbaud: « *Ce ne peut être que la fin du monde, en avançant* ».

Questa tensione fra realtà e illusione è stata colta e chiarita, nel teatro americano, dalla generazione di questo dopoguerra. È in un certo modo, la sua novità. Vecchia novità per l'Europa. Ibsen, Cecov sono diverse espressioni di un conflitto fra realtà e illusione, divenuto ideologia in Pirandello. Ma è interessante proprio questo: che il tema dall'Europa sia passato all'America, e vi abbia preso caratteri inconfondibili. Che dalla società aristocratica della Russia meridionale di Cecov si sia trapiantato nella Louisiana ricca di ricordi europei; e ancor piú, che dalla società burocratico-piccolo borghese di Pirandello sia passata ai complessi industriali, ai quartieri operai americani. C'è sempre una ragione per questi trapianti, o per questo improvviso rifiorire di semi che parevano inariditi. In questo caso, la comparsa del conflitto tra realtà e illusione denota carenze e scompensi nella società in cui si rivela: lo denotò in Cecov, come sappiamo; lo denotò in Pirandello, fiorito nel bel mezzo di una grossa illusione nazionalista e borghese. Di che cosa è sintomo in America? Di un passaggio di classi, come in Cecov, o del sopravvento, di nuovo, dell'*escapism*?

Accontentiamoci di notare, osservatori lontani come siamo, che la comparsa di questo conflitto nel teatro americano denota un'altra cosa: una maggiore presa di coscienza dei giovani drammaturghi americani di fronte alla realtà. Stroncata la generazione di Odets e di Saroyan dai problemi piú grandi di loro, parrebbe che l'impossibilità di condurre una polemica teatrale antireazionaria senza cadere nel trabocchetto aperto dell'antiamericanismo abbia aguzzato gli ingegni della nuova generazione a chiarire le proprie posizioni nella realtà circostante. È un fatto che questi nuovi scrittori non si affidano piú alle maschere e al simbolismo psicanalitico di O'Neill, né ai vapori sentimentali di Saroyan, ma hanno osservato nella loro realtà conflitti piú veri e delicati. Che noi potremo, senza constatare plagi o derivazioni, tranquillamente paragonare ad analoghi conflitti prodotti da civiltà differenti. È pirandelliano, a esempio, e dei piú dolorosi, il richiamo di Williams alla pietà di fronte all'illusione: « che colpa ha lei se si vede costretta a compensare alle crudeli deficienze della realtà con l'esercizio di un po' di immaginazione? » (*The Lady of Larkspur Lotion*, in *27 Wagons* ecc.). L'illusione fa da compensazione, e il meccanismo con cui la compensazione (cioè la follia) si attua è diverso da quello antico e fisico della puritana della Nuova Inghilterra che si perde negli « insoffocabili » istinti risvegliati in lei dal West. La necessità della compensazione nasce negli insoddisfatti, nei delusi, in coloro che la vita ha privato di un unico bene (una famiglia, una tradizione, un amore); la privazione di questo bene travolge in loro l'equilibrio morale, e stabilisce una nuova tensione di desiderio, istintivo, animale, febbrile: l'antica censura freudiana si apre ai loro desideri repressi, il loro mondo sentimentale sbanda: divengono, cosí, immorali. Per compensazione. Nulla di piú innocente di questa loro immoralità. Il loro candore è perfetto perché i loro ricordi sono immacolati, la loro fede non trema. Il loro modo di sperare è diverso da quello di Cecov, perché è senza millennio, essi sperano non tanto che la società muti, ma che sia sempre quella in cui sono nati. Bene o male, sul serio o per ironia, i personaggi cecoviani avevano una forza che questi hanno perduta: la forza di rimandare, la forza che dava loro il pensiero del paradiso che verrà sulla terra, o la speranza della trasformazione che gli anni futuri opereranno sul mondo o sul nostro carattere. Qui nessuno pensa o spera di cambiare. L'evasione nel futuro, tipica di Cecov, è divenuta disperato attaccamento a un punto nella traiettoria del tempo, a un'immagine isolata e cara, insostituibile, a una religione lontana, a un Dio misteriosamente fisso e scomparso, in un mondo abbandonato all'instabilità, alla volgarità e alla violenza. Le proprietarie del *Giardino dei Ciliegi* l'hanno venduto, e la vicenda avviene come se fosse: « Qualche anno dopo. In un'altra parte del mondo... »

Che valore ha, nel giro di queste illusioni, la verità?

> Un uccello può esser preso mentre si leva
> O ghermito e atterrato dal falco.
> Ma il suo canto, che è la verità, non sarà mai catturato.

La poetica di Williams si propone appunto questo: riprodurre e quando si può, rivelare la verità che era nell'essere misterioso, risuscitandolo con cecoviana minuzia allusiva di particolari e contrappunti di musiche. In un certo senso, occorre notare che un certo teatro americano a cominciare da Williams non può rinunciare alla musica: alla musica affida la precisazione di stati d'animo, ricordi, atmosfere. L'atmosfera carica di rumori, suoni, echi lontani di Williams è già in sé un tentativo di fare concerto, di disporre un fluido vitale, sensitivo, sospeso, in cui le parole rimbalzino e i personaggi siano in rilievo: contro un muro sonoro.

(*Un grido*) Jake!

(*Flora esce sul portico, accende la luce e si guarda in giro. Non le rispondono che le cicale. Con intonazione profondamente nasale Flora ripete*) Jee-eee-ke! (*una vacca muggisce in lontananza con la stessa inflessione. A un miglio di distanza una esplosione soffocata. Si sentono voci lontanissime...*)

GERARDO GUERRIERI

Tennessee Williams, nato il 26 marzo 1914 a Columbus, Miss., ha scritto di sé: « I miei avi erano pionieri del Tennessee, dediti alla famiglia e alla politica: alcuni, come Nollichucky Jack Sevier, si distinsero nelle guerre contro gli Indiani durante la colonizzazione del Sud. Sono anche parente del defunto senatore John Sharp Williams, oratore fra i piú famosi e acclamati del Mississippi nonché bevitore tra i piú gagliardi dello Stato, che dichiarò nel ritirarsi dalla vita politica "preferirei essere un cane randagio e abbaiare al Mississippi anziché essere un membro del Senato degli Stati Uniti". Mi si perdoni se parlo quasi esclusivamente dei miei antenati. La mia vita appare relativamente prosaica. Lasciai il Sud quando entrai a scuola, ma vi ritornai spesso, essendo la nostra casa dove lasciamo appesa la fanciullezza, come un certo scrittore ha osservato; ed essendo il Mississippi per me il luogo piú splendido della creazione, una cupa, ampia, spaziosa terra in cui si respira. Frequentai tre Università nel *midwest* e, laureatomi nell'Università di Iowa, divenni quella comunissima specialità americana che è lo scrittore vagabondo, senza radici, e feci il cameriere, il raccattabocce in una *bowling alley*, il garzone in una colombaia, il venditore di scarpe, eccetera. Andai a New York quando il Group Theatre premiò con cento dollari alcuni miei atti unici. Subito dopo vendetti un dramma, *Battle of Angels*, al Theatre Guild, che lo mise in scena con Miriam Hopkins come interprete principale ».

Tale rappresentazione ebbe luogo nel 1940, e senza successo. (Per completare il « ritratto di famiglia », aggiungeremo che il nonno di Williams era pastore nella chiesa episcopale, che per parte materna in lui scorre sangue francese, e che il padre appartenne a quella specie ormai tipica e entrata nel panteon piccolo-borghese americano che è il commesso viaggiatore: il *salesman*, discendente povero del *settler*. A un commesso viaggiatore Williams ha dedicato l'ultimo quadro del suo *Summer and Smoke* [*Estate e Fumo*, 1948], ed è curioso notare come questo personaggio tenga, sia pure in vario modo, a battesimo, i due maggiori autori drammatici di questo dopoguerra americano, Arthur Miller e Tennessee Williams). Nel 1944 andò in scena a Chicago, per le cure di Eddie Dowling e Margo Jones, *The Glass Menagerie*, che interpretata da Laurette Taylor trionfò a New York, e tradotta in italiano col titolo *Zoo di vetro*, fu rappresentata dalla compagnia diretta da Luchino Visconti, con Rina Morelli, Paolo Stoppa, e nella parte della Madre, Tatiana Pavlova. A *Glass Menagerie* seguirono la raccolta di atti unici *27 Wagons Full of Cotton and other One-Act Plays* (1945), *You Touched Me* (1947; mai rappresentato in Italia), *A Streetcar Named Desire* (*Un tram che si chiama desiderio*, 1947) che fu diretto in Italia da Visconti, con Rina Morelli, Vivi Gioi e Vittorio Gassman nelle parti principali e che Kazan, regista di Williams a Broadway, tradusse in film con Vivien Leight. Dopo il già citato *Summer and Smoke*, rappresentato in Italia dal Piccolo Teatro di Milano, regia di Giorgio Strehler, interpreti Lilla Brignone e Gianni Santuccio, abbiamo: *American Blues* (1949), *I Rise in Flame, cried the Phoenix* (1951), *The Rose Tattoo* (1951), *Camino Real* (1953), *Cat on a Hot Tin Roof* (1955; notissima anche in Italia col titolo: *La gatta sul tetto che scotta*), *Orpheus Descending* (1957), *Suddenly Last Summer* (1958), *Garden District* (1959), *Sweet Bird of Youth* (1959), *Period of Adjustment* (1960), *High Point over a Cavern* (1960), *The Night of Iguana* (1961; una prima stesura in un solo atto era stata presentata nel 1959 al Festival dei due Mondi di Spoleto), *The Milk Train Doesn't Stop Here Any More* (1962). La presente raccolta è tratta da *27 Wagons Full of Cotton and other One-Act Plays* e da *American Blues*.

Tra le opere di poesia di Williams ricordiamo *In the Winter of Cities* (1956) e, tra quelle narrative, *One Arm, and Other Stories* (1948), *The Roman Spring of Mrs Stone* (1950), *Hard Candy* (1954) e *Three Players of a Summer Gam* (1960). Williams ha scritto anche la sceneggiatura del film *Baby Doll* (1956).

I «BLUES»

LA CAMERA BUIA

Titolo originale *The Dark Room*

PERSONAGGI

La signorina Morgan
La signora Pocciotti
Lucio

Cucina di un modestissimo appartamento di tre stanze nel quartiere industriale di una grande città americana. Il fornello e l'acquaio denunciano una gran sciatteria nel governo della casa. Sul fornello è inchiodato un cartello: SORRIDERE SEMPRE.

La signorina Morgan è il personaggio ben noto della meticolosa, schizzinosa zitella che si dedica all'assistenza sociale. Sta al regista interpretarla con maggiore o minore benevolenza. La signora Pocciotti è una montagna di carne femminile, italianamente abbronzata, la cui massa è esagerata da un ridicolo golfino grigio a maglia le cui maniche le arrivano al gomito. Tutto in lei è grave e tardo tranne gli occhi che hanno lampi di sospetto.

MORGAN (*seduta al tavolo con matita e taccuino*) Dunque, signora Pocciotti, da quando è disoccupato suo marito?

POCCIOTTI Lo sa Dio, da quando.

MORGAN Ho paura che non mi basti una risposta cosí vaga.

POCCIOTTI (*rovistando con la scopa sotto il fornello*) Dal 1930, circa.

MORGAN Da allora è disoccupato? Da otto o nove anni?

POCCIOTTI Da otto o nove anni. Niente lavoro.

MORGAN Si è... infortunato... voglio dire... gli è successo qualche cosa, a suo marito?

POCCIOTTI Non ha la testa. Non ricorda piú niente.

MORGAN Vedo. Malattia mentale. Ha avuto assistenza in ospedali o casse mutue, suo marito, signora Pocciotti?

POCCIOTTI Va, viene, va.

MORGAN Dal manicomio?

POCCIOTTI Sí.

MORGAN Adesso dov'è?
POCCIOTTI Al manicomio.
MORGAN Vedo.
POCCIOTTI Non ha la testa. (*Ha ripescato con la scopa di sotto la cucina un cucchiaio di stagno. Si curva rantolando e lo mette sulla tavola*).
MORGAN Oh, vediamo... e i suoi ragazzi?
POCCIOTTI I ragazzi? Franco e Tonino, se ne sono andati. Non sono mai stati buoni a niente, quei due. Tonino è a Chicago, Franco... non lo so. Non so piú che cosa fanno, dove sono, se sono sposati, se lavorano, niente, non ne so niente!
MORGAN Oh. Lei è all'oscuro della loro sorte. E gli altri, che fanno?
POCCIOTTI Lucio, Silvio, i piú piccoli, vanno a scuola.
MORGAN Scuola elementare, o media?
POCCIOTTI Vanno ancora a scuola.
MORGAN Vedo. E poi ha una figlia?
POCCIOTTI Una femmina.
MORGAN Anche lei disoccupata.
POCCIOTTI No, non lavora.
MORGAN Vuol dirmi il nome e l'età?
POCCIOTTI Il nome, Tina. Quanti anni avrà? È venuta dopo l'ultimo maschio, appena finiscono i maschi viene la femmina.
MORGAN Approssimativamente, mettiamo, quindici anni.
POCCIOTTI Quindici.
MORGAN Vedo. Mi piacerebbe parlare con sua figlia, signora Pocciotti.
POCCIOTTI (*scopando con improvviso vigore*) Parlare?
MORGAN Sí. Dov'è?
POCCIOTTI (*indica la porta chiusa*) Là dentro.
MORGAN (*alzandosi*) Potrei vederla adesso?
POCCIOTTI No. Non entri. Non le piace.
MORGAN (*aguzzando le orecchie*) Non *le* piace?
POCCIOTTI No.
MORGAN Perché no? È malata, sua figlia?
POCCIOTTI Chi lo sa che ha. Non vuole nessuno in camera sua, non vuole la luce accesa. Vuole stare al buio.

MORGAN Al buio? Sempre al buio? Ma davvero? In che senso?

POCCIOTTI (*con un gesto vago*) Al buio!

MORGAN Vuol essere un pochino meno misteriosa nel rispondere alle domande?

POCCIOTTI Che?

MORGAN (*agitata*) Cos'ha sua figlia? Qualcosa che non va?

POCCIOTTI Che non va? No... non so.

MORGAN Ma lei dice che si chiude in una stanza buia, e vuol essere lasciata sola?

POCCIOTTI Sí.

MORGAN Be', non mi pare che questo sia molto normale per una ragazza. Se ne rende conto?

POCCIOTTI (*scuotendo lentamente la testa*) No.

MORGAN (*scattando*) Da quanto dura?

POCCIOTTI Da quanto? Da quanto tempo?

MORGAN Sí.

POCCIOTTI Sí, chi lo sa? Dio... (*Si tocca la guancia come se l'avessero colpita lí, poi continua a scopare lentamente*).

MORGAN (*calcando ogni sillaba*) Da quant'è in quella stanza? Da quanti giorni? Mesi? Settimane?... Eh? Signora Pocciotti, sarà utile farle notare che esiste un elemento chiamato tempo. Tempo che si misura con l'orologio, col calendario, col... tempo! *Tempo!* Sa che cosa significa tempo?

POCCIOTTI Tempo?

MORGAN Sissignora. Ecco. Da quanto tempo sua figlia si trova in queste condizioni?

POCCIOTTI (*piano dopo una pausa*) Sei mesi.

MORGAN Sei mesi? Da sei mesi è lí dentro al buio? Ne è sicura?

POCCIOTTI Sei mesi.

MORGAN Com'è cominciato?

POCCIOTTI A Capodanno, lui non è venuto. Cominciò quella notte. Prima è stato che lui non è venuto per molto tempo e lei telefonò a casa sua e la madre disse che non c'era e di non cercarlo piú. Disse che lui doveva sposare una tedesca, fra qualche giorno e non volevano seccature.

MORGAN Lui? Lui? Chi è questo lui?

POCCIOTTI Il fidanzato. Certo Max.

MORGAN Lei crede che la sua disavventura con questo giovane abbia causato la sua attuale depressione psichica?

POCCIOTTI Come?

MORGAN E dopo si chiuse in camera al buio? Cosí cominciò, secondo lei?

POCCIOTTI Forse. Non so. Gli telefonò dal tabaccaio poi salí in cucina e si fece l'acqua calda. Disse che aveva male alla pancia. Molto male.

MORGAN Aveva male?

POCCIOTTI Non so. Forse. Cosí disse quando andò a letto e da allora non si alza piú. (*La sua scopa compie timide evoluzioni attorno alla sedia della signorina Morgan*).

L'assistente sociale scosta i piedi come un gatto che eviti di farsi versare l'acqua addosso.

MORGAN Lei dice che da allora si è rinchiusa in camera?

POCCIOTTI Sí.

MORGAN Dal primo dell'anno, cioè. Sei mesi!

POCCIOTTI Sei mesi.

MORGAN E da allora non esce piú?

POCCIOTTI Se deve andare in bagno, esce. Se no sempre dentro.

MORGAN E che fa, dentro?

POCCIOTTI Non so. Sta distesa, al buio. Certe volte fa rumore.

MORGAN Rumore?

POCCIOTTI Piange, dice brutte cose, picchia contro il muro. Sopra, certe volte protestano. Ma il piú delle volte sta zitta. Sta a letto, distesa.

MORGAN E per mangiare? Prende regolarmente i pasti?

POCCIOTTI Mangia quello che le porta lui.

MORGAN Lui? Chi lui, signora Pocciotti?

POCCIOTTI Max.

MORGAN Max?

POCCIOTTI Il giovane, con cui era fidanzata.

MORGAN Signora Pocciotti, non vorrà dirmi che questo giovane vede ancora sua figlia?

POCCIOTTI Sí.

MORGAN Ma non s'era sposato, scusi?

POCCIOTTI Sí. Con la tedesca. I suoi parenti erano contro la nostra religione.

MORGAN E viene ancora qui? Sposato? A trovare sua figlia?

POCCIOTTI Lei fa entrare solo Max.

MORGAN Entra? In camera? Con la ragazza?

POCCIOTTI Sí.

MORGAN Ma lei sa che lui ha moglie? Lo saprà, no?

POCCIOTTI Lo so io. Lei, non lo so. Non posso dire quello che non so.

MORGAN Entra nella camera della ragazza. E di che parlano?

POCCIOTTI Parlano? Niente.

MORGAN Non parlano... di niente?

POCCIOTTI Niente.

MORGAN Cosa vuol dire, che non parlano?

POCCIOTTI Permesso, levo la tavola. (*Toglie il tappeto dalla tavola*).

MORGAN Ma allora che... che... che fanno là dentro, signora Pocciotti?

POCCIOTTI Non so. È buio. Non so. Lui entra, sta lí un po', esce.

MORGAN Scusi, mi lasci capire. L'uomo è ammogliato, sua figlia in quelle condizioni, lei gli permette di visitare la ragazza al buio, li lascia soli lí dentro e non sa neanche quello che fanno?

POCCIOTTI No. Lei lo vuole lí. Quando c'è lui fa meno rumore. Se un giorno lui non viene, guai! Urla, strilla, parolacce, maledice tutti quanti. Quelli del piano di sopra reclamano. Arriva lui, si calma. Mangia quello che lui le porta. È una buona cosa. In casa non c'è molto. Se lei non viene a tavola, in fondo, è meglio. Mentre

Max: una pagnotta, formaggio, sottaceti, caffè, qualche volta. È una buona cosa.

Lucio compare alla finestra sul *fire escape*.

LUCIO Mamma!
POCCIOTTI Eh.
LUCIO Mi dài due cents? Ho scommesso con Jeeps che ero piú forte io e invece è piú forte lui e adesso vuole i soldi e se non glieli do mi picchia ancora.
POCCIOTTI Sccctt! (*Indica minacciosamente, con un gesto brusco del pollice, la schiena della signorina Morgan*).

Lucio allibisce e ridiscende rumorosamente la scala.

MORGAN Sa che lei potrebbe essere ritenuta responsabile di questo stato di cose?
POCCIOTTI Come?
MORGAN Da quanto dura? Tra quest'uomo e sua figlia?
POCCIOTTI Max? Lo sa Dio. Non so.
MORGAN Signora Pocciotti, ho l'impressione che lei sfugga di proposito alle mie domande. Il che non migliora certo la situazione. Un maggior spirito di cooperazione da parte sua sarebbe molto piú fecondo.
POCCIOTTI Lei dice certe cose. Io non so. Io provo, non riesco.
MORGAN Non mi pare che provi abbastanza. Senta, se lei lasciasse un po' stare quella scopa, avanti e indietro, inutilmente... se lei ascoltasse bene le mie domande, e cercasse di rispondere a tono, le cose andrebbero molto meglio... Da quanto tempo sua figlia e questo giovane tedesco stanno insieme?
POCCIOTTI (*violentemente*) Domande! Mi fa confondere! Domande, domande! Che ne so, che cosa si può fare!
MORGAN Tina! Max! Da quanto tempo stavano insieme?
POCCIOTTI Dalla scuola, da quando è cominciata la scuola!
MORGAN E dopo che sua figlia si fu ammalata e rinchiusa

nella stanza, quando cominciò a venirla a trovare il giovanotto?

POCCIOTTI Forse cinque, sei mesi.

MORGAN E nessuno, signora Pocciotti, né lei, né suo marito, lo mise alla porta?

POCCIOTTI Mio marito non ha la testa. Io devo lavorare. Ci arrangiamo come possiamo. Se va cosí, vuol dire che cosí vuole Dio. Se va male va male. Non so. Questo posso dire.

Pausa.

MORGAN Vedo. Signora Pocciotti, bisognerà portar via di qui la ragazza.

POCCIOTTI Portarla via? Non vorrà.

MORGAN Della sua volontà temo non si potrà tener conto. E neanche della sua, cara signora. Lei ha dimostrato una assoluta incapacità di accudire questa ragazza. Che dico? Lei ha addirittura contribuito al suo deterioramento morale.

POCCIOTTI Non vorrà andarsene. Lei non conosce Tina. È robusta, dà certi calci, terribile.

MORGAN Non verrà con le buone? La porteremo via con la forza.

POCCIOTTI Speriamo. Non sta bene, per i bambini: lei sempre sul letto nuda.

MORGAN Come? Sul letto nuda?

POCCIOTTI Sí. Non ha mai niente addosso. I bambini guardano dalla serratura e ridono, e dicono porcherie.

MORGAN (*disgustata*) Nc, nc, nc: via, via subito, e un lungo periodo di osservazione.

POCCIOTTI Sí sí, e faccia presto. Fa impressione a vederla.

MORGAN In che senso? Perché fa impressione a vederla, signora Pocciotti?

POCCIOTTI Perché... cosí. (*La sua mano curva compie un'ampia evoluzione ellittica davanti alla sua pancia*).

MORGAN No! Sul serio lei?... (*Alza la mano alle labbra*).

La signora Pocciotti annuisce lentamente, continuando a scopare.

Sipario lento.

RITRATTO DI MADONNA

Rispettosamente dedicato
al talento e al fascino di Lillian Gish

Titolo originale *Portrait of a Madonna*

PERSONAGGI

La signorina Lucrezia Collins
Il portiere
Il ragazzo dell'ascensore
Il dottore
L'infermiera
Il signor Abrams

La stanza di soggiorno di un modesto appartamento di città. I mobili sono antiquati, l'abbandono e il disordine dominano. Una porta nella parete di fondo conduce a una camera da letto, un'altra a destra nell'anticamera.

COLLINS Riccardo! (*Dalla porta che si spalanca irrompe selvaggiamente Lucrezia Collins. È una zitella di mezz'età, smilza e dalle spalle ad arco, con un viso tirato che l'agitazione imporpora. Porta i capelli pettinati a boccoli come una bambina, e la vestaglia piena di trine che indossa pare uscita da un vecchio corredo di tanti anni prima*) No, no, no, no! Ma che lo sappia anche l'intera congregazione! (*Afferra freneticamente il telefono*) L'amministratore, devo parlare con l'amministratore! Presto, per carità, presto; c'è un *uomo* qui! (*Si rivolge concitatamente, a parte, a un individuo invisibile*) Che ha perduto ogni ritegno, assolutamente ogni ritegno!... Il signor Abrams? (*In un « sottovoce » agitato*) Per carità, che i giornali non ne parlino, ma quassú da parecchio succedono cose terribili! Sí, parla la signorina Collins dell'appartamento all'ultimo piano! Ho evitato di sporgere reclamo finora unicamente per un riguardo alla congregazione. Ero segretaria del direttore della scuola domenicale e una volta avevo la prima classe. Li aiutavo per la processione di Natale. Il vestito per la Vergine e Madre l'ho fatto io, io ho preparato il costume dei Re Magi. Sí, e adesso è successo questo: senza la minima responsabilità da parte mia, ogni sera quest'uomo penetra nel mio appartamento e sfoga i suoi bassi istinti! Capisce? E non una volta sola ma ripetutamente, signor Abrams! Non so se entra dalla porta o dalla finestra o dalla scala di servizio o da qualche porta segreta che forse io non conosco ma che conoscono alla chiesa, ma adesso è qui nella mia camera da letto e non so come mandarlo via, bisogna che qualcuno mi aiuti! No, non è un ladro, signor Abrams, proviene da una famiglia molto fine di Webb nel Mississippi, ma quella donna gli ha rovinato il carattere, ha distrutto in lui qualsiasi rispetto per una signora! Signor Abrams! Signor Abrams! O Dio! (*Riattacca freneticamente il ricevitore e si guarda attorno come una pazza, poi si precipita in camera da letto*) Riccardo!

La porta si richiude sbattendo. Qualche secondo dopo entra un vecchio portiere che indossa un vecchio camice grigio ordinario. Si dà un'occhiata attorno con l'aria di chi è incuriosito da una cosa comica e triste, poi chiama timidamente.

PORTIERE Signorina Collins!

La porta dell'ascensore si spalanca con fracasso nell'ingresso e il ragazzo dell'ascensore entra.

RAGAZZO Dov'è?
PORTIERE In camera da letto.
RAGAZZO (*sogghignando*) E lui? Se lo tiene dentro?
PORTIERE Pare.

Si sente la voce della signorina Collins protestare debolmente contro il misterioso intruso.

RAGAZZO Che t'ha detto di fare il signor Abrams?
PORTIERE Di star qui e tenerla d'occhio finché arrivano.
RAGAZZO Madonna.
PORTIERE Chiudi quella porta.
RAGAZZO Devo lasciarla un po' aperta per sentire il campanello. Non fa un bel vedere qua dentro, oh!
PORTIERE Non ci avranno scopato da vent'anni, almeno. Quando vede queste pareti, Abrams, gli piglia una sincope.
RAGAZZO Come mai questo sfacelo?

PORTIERE Non lasciava entrare mai nessuno.

RAGAZZO Neanche l'imbianchino?

PORTIERE Macché. Neanche lo stagnaro. Nel bagno sotto al suo cominciò a colare il soffitto e lei confessò che la sua conduttura era otturata. Abrams dovette far entrare l'operaio con questo *passe-partout* un giorno che lei era uscita.

RAGAZZO Madonna. Che ne dici, avrà dei quattrini nascosti da queste parti? Ci sono, quei pazzi che nascondono i milioni nel materasso.

PORTIERE Non lei. Lei riceveva ogni mese l'assegno della pensione o roba simile che lei girava ad Abrams. Diceva che le signore del Sud non ricevono un'educazione finanziaria. Poi, gli assegni finirono.

RAGAZZO Ah?

PORTIERE La pensione finí, o roba simile. Abrams dice che ha avuto dei soldi dalla chiesa per tenerla qui, lei non ne sa niente. E che arie si dà, povera disgraziata!

RAGAZZO Sentila, sentila, di là!

PORTIERE Che dice?

RAGAZZO Gli ha chiesto scusa! D'aver chiamato la *polizia*!

PORTIERE Crede che venga la polizia?

COLLINS (*in camera da letto*) Basta, la finisca!

RAGAZZO Lotta per il suo onore! Che fracasso! Hanno ragione i vicini a lamentarsi!

PORTIERE (*accende la pipa*) Questa è l'ultima volta.

RAGAZZO Se ne va, eh?

PORTIERE Stasera.

RAGAZZO Dove?

PORTIERE (*avviandosi lentamente verso il vecchio grammofono*) Al manicomio provinciale.

RAGAZZO Madonna!

PORTIERE Te lo ricordi, questo? (*Mette il disco di «I'm Forever Blowing Bubbles»*).

RAGAZZO No. Quando è uscito?

PORTIERE Non eri neanche nato, caro giovane di belle speranze. Il meccanismo ha bisogno d'olio. (*Estrae una lattina d'olio e unge la manovella e altre parti del grammofono).*

RAGAZZO Da quanto tempo abita qui la zitella?

PORTIERE Dice Abrams da venticinque o trent'anni, prima ancora che lui diventasse amministratore.

RAGAZZO E sempre da sola?

PORTIERE Aveva una vecchia madre che morí una quindicina d'anni fa sotto un'operazione. Da allora non ha piú messo fuori il naso tranne la domenica per andare in chiesa o il venerdí sera per certe adunanze religiose.

RAGAZZO Quante pile di vecchie riviste, qua in giro.

PORTIERE Faceva la collezione. Andava apposta a ripescarsele alla fornace.

RAGAZZO Per che fare?

PORTIERE Dice Abrams per ritagliare i bambini dei dadi Campbell. Quei bambolotti con la testa a pomodoro che mettono nelle réclame dei dadi da minestra: li avrai visti.

RAGAZZO Mmm... mm.

PORTIERE Faceva la collezione. Riempiva un sacco di album con questi pupazzetti di carta e li portava agli ospedali dei bambini a Natale e a Pasqua, due volte all'anno. Cosí va meglio, no? (*Riferendosi al grammofono che riprende la sua musica lontana e carezzevole*) Eliminato un po' di quel raspio...

RAGAZZO Non sapevo che fosse matta da tanto tempo.

PORTIERE Chi è matto, e chi non è matto? Il mondo è pieno di gente strana come lei.

RAGAZZO Eh ma lei non ha proprio cervello, Cristo!

PORTIERE Ci sono pezzi grossi in Europa che ne hanno meno di lei. Stanotte la portano via e la rinchiudono. Non farebbero meglio a lasciarla stare e a rinchiudere un po' di quei pazzi laggiú? Lei non fa male a nessuno, ma quelli? Ammazzano milioni di persone e girano a piede libero.

RAGAZZO Una vecchia cosí, però, fa schifo, mettersi in testa di essere violentata!

PORTIERE Pena, non schifo. Guarda dove butti la cenere.

RAGAZZO Figurati, con tutto il lerciume che c'è non la vedi neanche. Tutta questa roba se ne va domani mattina, no?

PORTIERE Mmm... mm.

RAGAZZO Porterò un paio di questi vecchi dischi per curiosità alla mia ragazza. Ha un grammofono portatile in camera da letto: dice che con la musica c'è piú gusto.

PORTIERE Lasciali stare. La proprietà è ancora sua.

RAGAZZO Ma va', lei ha tutto quello che vuole dai suoi amanti fantasma.

PORTIERE Sccccc!

Fa un gesto di avvertimento mentre la signorina Collins fa il suo ingresso dalla camera da letto. Ha un aspetto disfatto. Si piega, esausta, sulla soglia, con le mani che stringono i seni piatti e virginali.

COLLINS (*ansimando*) Oh, Riccardo, Riccardo...

PORTIERE (*tossendo*) Signorina... Collins.

RAGAZZO Salute, signorina.

COLLINS (*si accorge della presenza degli uomini*) Beata Vergine! Sono già qui! Mamma non m'ha detto niente! (*Impacciata, si tocca i ridicoli boccoli a cavatappo tenuti da un nastro rosa sbiadito. I suoi modi diventano quelli di una vaga signora del Sud, piccante ma austera*) Lor signori perdoneranno un cosí inaudito disordine!

PORTIERE Non fa niente, signorina Collins...

COLLINS È il giorno di libertà della donna. Le loro nordiche signorine ricevono una veramente eccellente educazione domestica, mentre da noi giú nel Sud non si apprezza, in una ragazza, che il fascino e la grazia! (*Ride infantilmente*) Seggano, prego. È troppo chiuso qui? Desiderano che apra una finestra?

PORTIERE No, signorina Collins.

COLLINS (*avviandosi con delicata grazia verso il divano*) Fra poco mamma porterà qualcosa di fresco... Oh, Dio! (*Si tocca la fronte*).

PORTIERE (*gentilmente*) Che ha, signorina?

COLLINS Oh no, no, grazie, nulla! La testa mi pesa un

po'. Sono sempre un po'... malarica... di questa stagione. (*Barcolla come se avesse le vertigini, e sta per abbattersi sul divano*).

PORTIERE (*aiutandola*) Attenta, signorina.

COLLINS (*con aria incerta*) Come mi pesa! Come mai non me n'ero accorta? (*Li scruta con occhi miopi e un sorriso esitante*) Lor signori vengono dalla chiesa?

PORTIERE Nossignora. Io sono Nick, il portiere, e questo è Frank, il ragazzo dell'ascensore.

COLLINS (*corrugando la fronte*) Ah sí?... Non capisco.

PORTIERE (*gentilmente*) Il signor Abrams m'ha detto di dare un'occhiata per vedere se non aveva bisogno di niente.

COLLINS Oh! Allora vi avrà informato di quel che è successo?

PORTIERE Ha accennato a un... inconveniente.

COLLINS Ecco! Non è vergognoso? Però, che non esca di qui, eh? Che non finisca su bocche estranee.

PORTIERE No, si figuri.

COLLINS Non una parola fuori di qui.

RAGAZZO Quello lí è ancora dentro, signorina?

COLLINS Oh, no. No, se n'è andato.

RAGAZZO Da che parte, dalla finestra della camera da letto, signorina?

COLLINS (*incerta*) Sí.

RAGAZZO Ho visto, una volta, uno capace di farlo. Si arrampicava lungo la parete del palazzo. Lo chiamavano l'Uomo Mosca! Pensi che titolo a otto colonne, signorina Collins! « Uomo mosca stupra giovane bella signora! »

PORTIERE (*dandogli una gomitata*) Torna alla tua gabbia, tu, fila!

COLLINS Titolo? No! Che cosa umiliante! Il signor Abrams non l'avrà mica comunicato ai giornalisti?

PORTIERE Nossignora. Non dia retta a questo giovincello.

COLLINS (*accarezzandosi i boccoli*) Prenderanno fotografie secondo loro? Ne ho una di lui sul camino.

RAGAZZO Questa qui, signorina Collins? (*Si avvicina al camino*).

COLLINS Sí. Di una gita con la scuola domenicale. Io quell'anno avevo i bambini dell'asilo, lui i piú grandicelli. Viaggiammo nella cabina di una locomotiva da Webb alle Fonti di Cristallo. (*Si tura le orecchie con un gesto infantile scrollando i boccoli*) Uh, come fischiava quella locomotiva! Fischiava? (*Ride nervosamente*) *Fischiava!* Mi spaventò tanto ch'egli mi mise il braccio attorno alla spalla! Ma c'era anche lei, venuta, cosí, senza nessuno scopo al mondo. Gli rubò il cappello e se lo piantò sulla nuca... e tutti e due... si strofinarono per averlo, *strofinarono* le dico! Tutti dissero che era un'indecenza! Non crede, lei?

PORTIERE Sí, signorina.

COLLINS E lí è la fotografia, quella con la cornice d'argento sul camino. Mettemmo in fresco il cocomero nella sorgente e dopo ci mettemmo a giocare. Lei si nascose non so dove e lui per trovarla ci mise secoli. Scese la notte e lui non l'aveva ancora trovata e tutti che mormoravano e ridevano alle loro spalle; come Dio volle tornarono, insieme... lei appiccicata al suo braccio come una donna di strada... e Rita Huston si mise a strillare: « Guarda guarda il didietro della gonna di Evelina! » Era... verde di macchie d'erba! Ha mai visto lei una sfacciataggine simile? Ma lei non si scompose affatto, rideva, come se la cosa fosse molto ma molto buffa! Era in trionfo!

RAGAZZO Qual è lui, signorina?

COLLINS Quello alto alto con la camicia azzurra che mi regge un boccolo. Giocare coi miei boccoli gli piaceva molto.

RAGAZZO Un don Giovanni... modello 1910, eh?

COLLINS (*astratta*) Le pare? Una cosina modesta, davvero: mi piace il merletto sul collo. Lo dissi alla mamma: « Magari non lo porterò, mammina, ma starà cosí bene nel mio corredo! »

RAGAZZO Com'era vestito stasera quando ha scalato il suo balcone, signorina Collins?

COLLINS Scusi?

RAGAZZO Aveva ancora quella camicia blu a striscioni col colletto di celluloide?

COLLINS Non è cambiato.

RAGAZZO Lo riconosceranno subito, con quell'affare. E i pantaloni, di che colore li portava?

COLLINS (*astratta*) Non ricordo.

RAGAZZO Magari non li aveva. Se li sarà persi per strada, arrampicandosi su per il muro! Perché non lo denunzia per atti osceni, signorina Collins?

PORTIERE (*afferrandogli il braccio*) Piantala o vattene nel tuo bussolotto. Capito?

RAGAZZO (*ridacchia*) Quante storie. Non sente una parola.

PORTIERE Be', parla da cristiano, se no fila. La signorina Collins, qui, è una signora. Capito?

RAGAZZO Sí, è Shirley Temple.

PORTIERE È una *signora*!

RAGAZZO Sííí! (*Torna al grammofono e si mette a cercare tra i dischi*).

COLLINS Non volevo creare tutto questo trambusto. Voglio chiarirlo, alla Polizia. Ma lei approva, non è vero, i miei sentimenti?

PORTIERE Certo, signorina!

COLLINS Quando un uomo approfitta di una di quelle disgraziate che fumano in pubblico, avrà forse una scusa, ma quando questo capita a una signora nubile e assolutamente al di sopra di ogni sospetto in fatto di moralità, che si può fare? Chiamare la forza pubblica? A meno che la ragazza non abbia la fortuna di avere un padre e dei fratelli che regolino la faccenda privatamente e senza scandalo!

PORTIERE Certo. Ha ragione, signorina Collins.

COLLINS Questo susciterà, figurarsi, un vespaio di pettegolezzi odiosi. Specie negli ambienti della chiesa. Sono episcopali lor signori?

PORTIERE Nossignora. Cattolici, signorina Collins.

COLLINS Ah. Allora, come lor signori sapranno, noi in Inghilterra siamo chiamati la Chiesa cattolica inglese. Discendiamo in linea diretta da san Paolo che battezzò gli antichi Angli – cosí si chiamava una volta il popolo inglese – e vi fondò il ramo inglese della Chiesa cattolica. Perciò quando lei sente affermare da qualche ignorante che la nostra Chiesa fu fondata da... Enrico VIII... da quell'ignobile vecchio *libidinoso* che si prese tutte quelle mogli – tante, dicono, quante Barbablú! – lei capisce quanto sia ridicolo e profondamente offensivo per chiunque conosca e sia addentro alla storia della Chiesa!

PORTIERE (*consolante*) Assolutamente, signorina. Tutti lo sanno!

COLLINS Ah, se lo sapessero! Hanno bisogno che glielo si insegni! Prima che morisse, mio padre era Rettore alla chiesa di San Giorgio e Michele a Glorious Hill nel Mississippi... Posso dire di esser cresciuta all'ombra della Chiesa episcopale. A Pass Christian e a Natchez, a Biloxi, a Gulfport, a Port Gibson; a Columbus e a Glorious Hill! (*Con mite, meravigliata tristezza*) Ma, dirò loro una cosa, a volte mi viene il sospetto che nella Chiesa moderna si sia verificato una specie di scisma dello spirito. Queste diocesi settentrionali si sono completamente allontanate dalla vecchia e buona tradizione della Chiesa. Per esempio, il nostro rettore della chiesa della Santa Comunione non ha mai varcato la mia soglia. È una chiesa alla moda e lui ha molto da fare, lo so, tutto quello che vogliono, ma forse un'oretta per far sentire a suo agio una nuova arrivata nella congregazione poteva trovarla. Macché! Pare che piú nessuno abbia tempo... (*Man mano che si abbandona alla fantasia i suoi modi si fanno agitati*) Questo forse non dovrei dirlo, ma sanno loro che in questo momento, là, alla Santa Comunione – dove ho recentemente trasferito la mia iscrizione – stanno pigliando un gusto matto a quel che succede di notte in questo appartamento? *Sissignori!* (*Ride come una pazza e alza le mani al cielo*) Ne godono pazzamente! (*Trattiene il respiro e cerca qualcosa a tentoni nella vestaglia*).

PORTIERE Che cerca, signorina?

COLLINS Il mio... fazzoletto... (*Sbatte gli occhi per evitare di piangere*).

PORTIERE (*cavando di tasca uno straccio*) Qua. Tenga qui, signorina Collins. Non è che uno straccio, ma è pulito, salvo da questo lato dove ho spolverato il manico del grammofono.

COLLINS Grazie. Lor signori sono di una gentilezza squisita. Fra poco la mamma porterà qualcosa di fresco da bere...

RAGAZZO (*mettendo un disco sul grammofono*) Questo ha un titolo che sembra straniero.

Il disco comincia a suonare *Cuore solitario* di Čaikovskij.

COLLINS (*infilandosi in petto delicatamente lo straccio*) Mi scusino tanto. È bello, fuori?

PORTIERE (*rauco*) È bello, signorina.

COLLINS (*estatica*) Talmente caldo per questa stagione. Sono uscita per la funzione col mantellino d'astrakan addosso ma mi pesava talmente che ho dovuto riportarmelo a casa. (*Le ciglia le si chiudono*) I marciapiedi sono cosí interminabili d'estate.

RAGAZZO Non è estate, signorina.

COLLINS (*come in sogno*) Ogni volta pensavo che non sarei mai arrivata alla fine dell'ultimo isolato. Quello dove il ciclone sradicò tutti gli alberi. Il marciapiede è accecante dal sole. (*Si preme le palpebre*) Non si sa dove metter la faccia, e io sudo cosí abbondantemente! (*Si passa in modo studiato lo straccio sulla fronte*) Non un ramo, una foglia che la protegga, niente! Lei deve *accettare*! Voltare la sua odiosa faccia da gambero da tutti i portoni, e via, via piú presto che può, nei limiti del possibile, finché non arriva davanti a loro! Oh, Gesú, Gesú mio benedetto e quando lei non ha questa fortuna e incontra gente e deve *sorridere*? Come fa ad evitarla a meno di non attraversare la strada, ma salta talmente agli occhi... La gente può dire: ma quella è matta... La casa di lui è proprio a metà di quel tremendo isolato senza un filo d'erba, casa *loro*, di lui e di *lei*, e hanno un'automobile e rientrano sempre presto e si mettono a sedere sul portico e a guardare me che cammino... oh Padre mio che sei nei cieli con che gusto maligno! (*Volta la testa nella tortura del ricordo*) Ha certi occhi come succhielli, mi passano da parte a parte. Lei vede quel tremendo soffoco che mi sale in gola e il male che ho qui... (*si tocca il petto*) ... e mi segna a dito e ride e gli dice all'orecchio « guardala come scappa col suo nasone lustro a peperone, quella povera vecchia zitella... innamorata di te! » (*Rantolando nasconde la faccia nello straccio*).

PORTIERE Forse dovrebbe cercare di dimenticare, signorina Collins.

COLLINS Dimenticare mai! Mai! Mai dimenticare! Una volta lasciai il parasole – quello col pizzo bianco che apparteneva alla mamma – lo lasciai nel guardaroba in chiesa e non avevo nulla per coprirmi il volto per strada, e non potevo neanche ritornare indietro con tutta quella gente dietro di me che rideva alle mie spalle, beffandosi dei miei vestiti! Oh Dio Dio! Non mi restò che andare avanti, oltre l'ultimo olmo, in quell'implacabile solleone. Oh! mi picchiava addosso, mi scorticava! *Una sferza!*... O Signore! Sul viso, sul corpo!... Cercai di affrettarmi ma mi girava la testa e loro sempre dietro di me... inciampai, stetti per cadere, e scoppiarono tutti a ridere dietro di me! Ero diventata paonazza, in faccia, paonazza e bagnata: come doveva esser ripugnante, il mio viso, in quel riverbero acceso... neanche un'ombra dove nascondersi! E allora... (*la faccia le si contorce dal terrore*) ... la loro automobile arrivò davanti alla loro casa, proprio dove stavo per passare, e ne scese *lei*, in bianco, fresca e allegra, con la pancia del primo dei *sei* bambini che stava per avere. Oh Dio!... E lui dietro a lei, sorridente, bianco e fresco e contento: tutti e due si piantarono lí ad aspettarmi. *Aspettarmi!* Io che potevo fare? Andare avanti! Potevo voltarmi indietro? Mai piú! Pregai: Dio Dio carissimo, fammi morire sul colpo! Non mi esaudí. Camminai a testa bassa in modo da non vederli. Sanno che fece lei? Stese la mano per *fermarmi!* E lui... lui si mise a camminarmi incontro, *sor-*

ridendomi ostruendo il marciapiede con quel suo enorme corpo bianco! « Lucrezia » mi chiamò « Lucrezia Collins ». Io... io cercai di parlare ma non mi riuscí, non avevo piú fiato! Mi coprii la faccia e giú a correre. Correre!... Correre!... (*Picchiando sul bracciale del divano*) Arrivai in fondo all'isolato... e gli olmi... *ricominciarono*... O Gesú misericordioso che sei nei cieli, come li ringraziai! (*Si lascia andare esausta, la mano abbandonata sul divano. Pausa. La musica finisce*). Dissi alla mamma: « Mammina, dobbiamo lasciare questa città ». E cosí facemmo, subito. E adesso dopo tanti anni, lui s'è ricordato, finalmente, ed è *tornato*! Ha abbandonato la casa e quella donna per venir qui... lo vidi un giorno in fondo alla chiesa. Mi pareva e non mi pareva... e invece *era* lui. La sera dopo fu la prima che egli forzò la mia casa e... sfogò i suoi istinti su di me... Non si rende conto che io sono cambiata, che non ho piú i sentimenti che avevo una volta, ora che lui ha avuto sei bambini da quella ragazza di Cincinnati... tre dei quali vanno già a scuola! Sei? Pensino un po'! Sei bambini! Io non so che dirà quando saprà che se ne annuncia un altro! Darà la colpa a me, certamente, perché gli uomini fanno sempre cosí! Come se non mi avesse *violentata* lui!

RAGAZZO (*sogghignando*) Che dice? Un bambino, signorina Collins?

COLLINS (*abbassando gli occhi ma parlando con tenerezza e orgoglio*) Sí... aspetto un figlio.

RAGAZZO Per la Ma... (*Si tura la bocca con la mano e si volta velocemente*).

COLLINS Anche se non è legittimo, ha perfettamente diritto a portare il nome del padre. Che ne dicono loro?

PORTIERE Sicuro. Certo, signorina.

COLLINS Un bambino è innocente e puro, comunque sia stato concepito, e non bisogna farlo soffrire! Perciò io intendo disporre della piccola eredità lasciatami da mia cugina Ethel per dare al piccolo un'educazione privata che gli eviti di cadere sotto l'influenza malefica della Chiesa cristiana! Voglio esser sicura che non cresca all'ombra della croce per poi dover camminare sui marciapiedi bruciati dal solleone!

Il campanello dell'ascensore suona dall'ingresso.

PORTIERE Frank! C'è gente che vuol salire. (*Il ragazzo dell'ascensore esce. La porta dell'ascensore sbatte. Il portiere si schiarisce la gola*) Sí, sarebbe meglio... andare da qualche altra parte...

COLLINS Se solo ne avessi la forza... ma non l'ho. Ormai sono cosí abituata a star qui, e la gente fuori... è sempre cosí difficile affrontarla!

PORTIERE Forse lei non dovrà... affrontare nessuno, signorina Collins.

La porta dell'ascensore si apre sbattendo.

COLLINS (*si alza spaventata*) Vengono qui?

PORTIERE Lei stia calma, signorina Collins.

COLLINS Se sono gli agenti che vengono a arrestare Riccardo li mandi via. Ho deciso di non denunciare il signor Martin. (*Entra il signor Abrams con il dottore e l'infermiera. Il ragazzo dell'ascensore contempla la scena dalla porta. Il dottore ha un'aria stanca, professionale, l'infermiera è robusta e decisa. Il signor Abrams è un ometto gentile, sinceramente agitato dalla situazione. La signorina Collins si rattrappisce tutta, la voce le manca*) Ho deciso di non... denunciare il signor Martin...

DOTTORE La signorina Collins?

ABRAMS (*con un tentativo di vivacità*) Sí, questa è la signora che Ella voleva conoscere, dottor White.

DOTTORE Mmmmmm. (*Energicamente, all'infermiera*) Vada nella camera da letto e raccolga un po' di roba.

INFERMIERA Sí, dottore. (*Attraversa rapidamente la stanza e va in camera da letto*).

COLLINS (*indietreggia dalla paura*) Roba?

DOTTORE Sí, la signorina Tyler l'aiuterà a preparare una piccola valigia. (*Sorride macchinalmente*) Un luogo estraneo assume un'aria piú familiare, i primi giorni, se il nostro sguardo incontra qualche piccolo oggetto personale.

COLLINS Luogo... estraneo?

DOTTORE (*con tono indifferente, scrivendo un rapportino*) Niente paura, signorina Collins.

COLLINS Io lo so! La mandano dalla Santa Comunione a arrestarmi! Per immoralità!

ABRAMS Oh, no, signorina Collins, la sua impressione è errata. Il signore è un dottore che...

DOTTORE (*impaziente*) Su, su, è solo per qualche giorno, finché le cose non vanno a posto. (*Dà un'occhiata all'orologio*) Due e venticinque! Signorina Tyler?

INFERMIERA Vengo!

COLLINS (*comincia lentamente e tristemente a comprendere*) Oh... me ne vado...

ABRAMS È stata sempre una signora, dottore, una vera signora.

DOTTORE Sí. Senza dubbio.

ABRAMS Che peccato!

COLLINS Permettano che... gli scriva un biglietto. Una matita? Prego?

ABRAMS Ecco, signorina Collins.

Lei prende la matita e si accuccia alla tavola. L'infermiera ricompare, con un sorriso duro e sforzato, portando una valigetta.

DOTTORE Pronta, signorina Tyler?

INFERMIERA Pronta, dottor White. (*Si avvicina alla signorina Collins*) Su andiamo, bella, avremo tempo, poi, per far questo.

ABRAMS (*seccamente*) Lasci che finisca il biglietto!

COLLINS (*si leva con un sorriso tremante*) Ho... finito.

INFERMIERA Benissimo, cara, andiamo. (*La spinge con mano ferma verso la porta*).

COLLINS (*si volta improvvisamente*) Oh, signor Abrams!

ABRAMS Dica, signorina.

COLLINS Se lui dovesse ritornare... senza trovarmi... preferirei che lei gli tacesse... del bambino... Forse è meglio che glielo dica io... (*Sorride mitemente*) Sa come sono gli uomini, no?

ABRAMS Sí, signorina Collins.

PORTIERE Arrivederla signorina Collins.

L'infermiera la tira fermamente per il braccio. Lei sorride di sopra una spalla con un lieve gesto di scusa.

COLLINS La mamma fra poco porterà qualcosa di fresco... da bere... (*Scompare nell'anticamera con l'infermiera*).

L'ascensore si chiude sbattendo con il suono metallico di una trappola che scatta. I fili vibrano.

ABRAMS Gli ha lasciato un biglietto.

PORTIERE Che gli ha scritto, signor Abrams?

ABRAMS « Caro... Riccardo. Mi assento per qualche tempo. Ma non temere: ritorno. Ho un segreto per te. Caramente. Lucrezia ». (*Tossisce*) Bisogna sgombrare tutta questa roba e ammucchiarla a pianterreno in attesa di sapere dove metterla.

PORTIERE (*senza entusiasmo*) Stasera, signor Abrams?

ABRAMS (*ruvidamente per nascondere il suo stato d'animo*) No, no, che stasera, vecchio matto! Troppe ne abbiamo avute, stasera! (*Piú gentilmente*) Domani. Spegni quella luce in camera da letto... e chiudi la finestra.

Una musica si sente piano mentre gli uomini escono lentamente, chiudendo la porta, e le luci svaniscono.

LA LUNGA PERMANENZA INTERROTTA
ovvero
UNA CENA POCO SODDISFACENTE

Titolo originale *The Long Stay Cut Short*

PERSONAGGI

Archie Lee
Baby Doll
Zia Rosa

Il sipario si leva sul portico e sul cortile adiacente a un cottage a Monte Blu, Mississippi. La casa di legno è smunta, e ha un intonaco di un color verde-grigiastro rigato di colature nere dal tetto; le linee della costruzione non sono perfettamente ortodosse. Dietro è la cupa volta del cielo macchiato dal rosa di un minaccioso tramonto, mentre il vento ha guaiti da gatto.

Verso il proscenio, in mezzo al cortile adiacente, prospera un enorme rosaio, di una bellezza vagamente sinistra.

Una musica alla Prokof'ev prelude alla scena conciliando un'atmosfera di grottesco lirismo. La porta si apre in un cigolio rugginoso di molle e chiavistelli, che interrompe la musica. Compare la signora « Baby Doll Bowman ». È una grossa donna indolente, ma la sua prosperosità non è benigna, la sua stupidità poco rassicurante. Qualcosa ricorda, nell'acconciatura della lucida chioma corvina, nella tela scarlatta della veste, nei pesanti braccialetti d'ottone che indossa, l'Egitto. Archie Lee Bowman esce di casa succhiando tra i denti. È un omaccione dal viso malaticcio e gessoso e dal corpo flaccido.
Le battute uniformemente cadenzate del dialogo fra Baby Doll e Archie Lee possono essere cantilenate come una specie di curioso incantesimo corale, e si possono dividere i passaggi in strofe e antistrofe a seconda dei movimenti di Baby Doll su e giú per il portico.

ARCHIE LEE La vecchia una volta sapeva far da mangiare, ma adesso, neanche per sbaglio. Da un po' di tempo la cucina qui è peggiorata in modo pauroso.

BABY DOLL Hai ragione, Archie Lee. Non si può darti torto.

ARCHIE LEE Un buon piatto di radicchi li puoi sopportare cotti con carne di porco e lasciati sul fuoco finché non diventano teneri, ma cosí, crudi e sconditi, non sono buoni per i maiali.

BABY DOLL Rovinare quattro radicchi è difficile: lei c'è riuscita.

ARCHIE LEE Come avrà fatto?

BABY DOLL (*adagio e con disprezzo*) Per un'ora li ha tenuti sul fuoco. Dice: bollono. Vado in cucina, il fornello è ghiaccio. Non s'è dimenticata, la vecchia idiota, di accendere il fuoco? La chiamo. « Ehi, – dico, – zia Rosa! Forse io lo so perché il radicchio non bolle ». « Perché non bolle? » fa lei. « Eh, – dico io, – non sarà perché non era acceso il fornello? »

ARCHIE LEE E lei, che ha detto?

BABY DOLL Ha buttato indietro la testa e s'è messa a ridacchiare. « Uh, e io che lo credevo acceso, il mio fornello! E io che li credevo a bollire, i miei radicchi! » Tutto *mio*. Il mio fornello, la mia cucina, i miei radicchi. Ormai ha preso possesso di tutto.

ARCHIE LEE Accessi di megalomania! (*Dall'interno della casa proviene una risatina acuta*). Che ha da far coccodè?

BABY DOLL Che ne so perché fa coccodè! Magari per far vedere che è di buon umore.

ARCHIE LEE Rischia di diventare una bella scocciatura!

BABY DOLL Mi dà talmente sui nervi che piglierei e mi metterei a urlare. È cocciuta! Piú cocciuta di un mulo!

ARCHIE LEE Uno può essere cocciuto e saper cucinare il radicchio.

BABY DOLL No, se sei talmente cocciuto da non guardare neanche sotto il fornello se è acceso!

ARCHIE LEE Perché non cacci la vecchia dalla cucina?

BABY DOLL Trovami una negra e io caccio la vecchia dalla cucina.

La porta d'ingresso s'apre scricchiolando e zia Rosa compare sul portico. La fatica di arrivare dalla cucina le mozza il fiato, e per riprender respiro abbraccia una colonna del portico. È una di quelle vecchie signore – ha pressappoco ottantacinque anni – che assomigliano a delicate scimmiette dalla testa bianca. Indossa una veste di cotone grigio ormai troppo larga per il suo striminzito corpicino. Ha continue palpitazioni che la fanno ridere senza ragione. I due sul portico non la degnano di uno sguardo, nonostante che lei li faccia oggetto di cenni e sorrisi radiosi.

ZIA ROSA Ho portato le mie forbici. Domani è domenica e la domenica non posso vedere la mia casa senza fiori. E poi se non le tagliamo, le rose, se le porta via il vento.

Baby Doll sbadiglia vistosamente. Archie Lee succhia rumorosamente tra i denti.

BABY DOLL (*sfogando la sua irritazione*) La vuoi piantare di succhiare fra i denti?

ARCHIE LEE M'è andato un affare in un dente e non se ne va.

BABY DOLL Hanno inventato gli stecchini per questo.

ARCHIE LEE T'ho detto a colazione che di stecchini non ce ne sono. Te l'ho detto a pranzo e te l'ho ripetuto a cena. Dobbiamo stamparlo sul giornale?

BABY DOLL Esistono altre cose con la punta, oltre gli stecchini.

ZIA ROSA (*animata*) Archie Lee, figlio di mamma! (*Cava dalla tasca gonfia un gomitolo di filo*) Strappa un pezzetto di questo filo e passatelo fra i denti: se non riesce questo a portarti via il corpo estraneo, non ci riesce nient'altro, puoi star sicuro, figlio!

ARCHIE LEE (*buttando con malagrazia i piedi giú dalla balaustrata del portico*) Statemi a sentire, voialtre due mettetevi in testa questo. Se mi va di succhiarmi i denti, io me li succhio!

ZIA ROSA Ma certo, Archie Lee, e tu succhiateli, non far complimenti! (*Baby Doll grugnisce schifata. Archie Lee issa di nuovo i piedi sulla balaustrata e si rimette a succhiare rumorosamente tra i denti. Zia Rosa con qualche esitazione*) Archie Lee, figlio di mamma, la cena non ti è piaciuta stasera. Mi sono accorta che hai lasciato quasi tutto il radicchio nel piatto.

ARCHIE LEE Il radicchio non mi va.

ZIA ROSA Mi stupisce sentirtelo dire.

ARCHIE LEE Non vedo perché. Ho mai fatto dichiarazioni d'affetto per la cicoria in tua presenza, zia Rosa?

ZIA ROSA Qualcuno sí, però.

ARCHIE LEE Qualcuno, chi sa dove e chi sa quando può darsi, ma non certo io.

ZIA ROSA (*con una risatina nervosa*) Baby Doll, a chi piacerà la cicoria?

BABY DOLL (*con aria stanca*) Non lo so, a chi piacerà la cicoria, zia Rosa.

ZIA ROSA Chi la vuol cotta, chi la vuol cruda, è cosí difficile tenerlo a mente. Ma Archie Lee è di gusti semplici per la cucina, ah, semplicissimi! Jim è uno schizzinoso, uh, quant'è schizzinoso. E tutta la famiglia di Susie! Che schizzinosi! Storcono il naso, tutti quanti, uno peggio dell'altro! Quando cucino per quegli schizzinosi mi viene il collasso di nervi. Mentre il mio Archie Lee, mangia tutto quello che gli dài e tutto quello che gli dài lo gusta! (*Gli tocca la testa*) Dio ti benedica, figlio mio, per i gusti semplici che hai! (*Archie Lee afferra la sedia e la allontana bruscamente da zia Rosa. Lei ha una risata nervosa e affonda le mani nella capacissima tasca in cerca delle forbici*) Adesso scendo laggiú a tagliare qualche rosa prima che arrivi il vento a sfogliarmele tutte perché la domenica non so stare con la mia casa senza fiori. E appena finito, me ne torno alla mia cucina a accendere il mio fornello e a cuocervi qualche uovo in cassetta. Ah che i miei uomini debbano rimanere scontenti della cucina, in casa *mia*? Non sia mai! Neanche per sogno! (*Scende in fondo ai gradini e si ferma a riprender fiato*).

ARCHIE LEE Che sono queste uova in cassetta?

ZIA ROSA Come, le uova in cassetta erano il piatto preferito del papà di Baby Doll!

ARCHIE LEE Non è una risposta.

ZIA ROSA (*come confidasse un segreto*) Ti dirò la ricetta.

ARCHIE LEE Non me n'importa della ricetta, voglio sapere che sono.

ZIA ROSA (*logica*) Figlietto, non posso spiegarti che sono se non ti do la ricetta. Si tagliano alcune fette di pane, e alle fette si leva un tondino. Poi, le fettine, si mettono in una padella spalmata di burro. Indi, nel centro di ciascuna fettina fai cadere un uovo, e su ogni uovo metti un tondino.

ARCHIE LEE (*sarcasticamente*) E nel fornellino accendi il fuochino?

BABY DOLL No, che! Devi dimenticarti di accenderlo! E se no perché le chiamerebbero uova in cassetta? (*Ride della sua spiritosaggine*).

ZIA ROSA (*vivace*) Cosí le chiamano, uova in cassetta, e il papà di Baby Doll ci moriva dietro. Tutte le volte che al papà di Baby Doll non era piaciuta la cena, reclamava le sue uova in cassetta, e se non le aveva! era capace di pestare i piedi delle ore! (*La rievocazione sembra divertirla talmente che per poco non casca*) Pestava, pestava i piedi finché non gliele portavo... (*Il riso le smuore e lei si allontana con passo incerto dal portico, esaminando le forbici*).

BABY DOLL Peggiora ogni giorno che passa.

ARCHIE LEE Da quant'è qui da noi?

BABY DOLL È venuta a ottobre.

ARCHIE LEE No, agosto. È capitata qui a agosto.

BABY DOLL Era agosto? Ah, già, era agosto.

ARCHIE LEE Perché non se ne va un po' da Susie, a far coccodè?

BABY DOLL Susie non ha dove metterla.

ARCHIE LEE Da Jim allora.

BABY DOLL Da Jim è stata prima di venire qui e la moglie di Jim disse che le rubava, perciò venne via.

ARCHIE LEE Non credo che rubasse. Tu credi che rubasse?

BABY DOLL Non credo che rubasse. È stata una scusa per levarsela dai piedi.

Zia Rosa è arrivata al rosaio. Il vento la investe e quasi l'alza da terra. Vacilla e ride della sua mancanza di equilibrio.

ZIA ROSA Oh madre mia! Ah ah! Oh! Ah ah ah!

BABY DOLL Macché, non posso lasciare il portamonete sul tavolo che la vecchia scema lo afferra e me lo riporta tutta scodinzolante dicendo: « Conta i soldi ».

ARCHIE LEE E perché?

BABY DOLL Avrà paura che io dica che ruba, come la moglie di Jim.

ZIA ROSA (*canta fra sé strisciando attorno al rosaio*)

Roccia antica che ti apri al mio duolo
nel tuo grembo ch'io trovi perdono!

ARCHIE LEE Quel tuo cugino coi denti da cavallo, come si chiama? Bunny, non aveva scoperto un nuovo brevetto per utilizzare i detriti del petrolio?

BABY DOLL L'ha scoperto e non l'ha scoperto.

ARCHIE LEE Che significa?

BABY DOLL Tu lo sai com'è Bunny. Scopre qualche cosa, trova i finanziatori, poi va tutto all'aria e finisce in tribunale. Poi dice che la moglie ha la menopausa.

ARCHIE LEE Hanno tutti qualche cosa perché senza essere delle cime sanno benissimo che la vecchia sta per tirare le cuoia da un momento all'altro e nessuno vuol trovarsela sul groppone.

BABY DOLL L'hai detta.

ARCHIE LEE E l'appioppano a me?

BABY DOLL Non urlare.

ARCHIE LEE Sono il capro espiatorio?

BABY DOLL Non urlare, non urlare!

Zia Rosa canta debolmente presso il rosaio.

ARCHIE LEE E allora scarica la vecchia a qualchedun altro.

BABY DOLL A chi, Archie Lee?

ARCHIE LEE La gallina fa pipí: a, bí, cí, dí. Tocca a dí.

BABY DOLL E chi è « dí »?

ARCHIE LEE Io, no! (*Movendosi adagio e con cautela attorno al rosaio con le forbici, zia Rosa canta fra sé. Intercala versi dell'inno sacro alle battute del dialogo sul portico. Un crepuscolo azzurro si addensa sul cortile ma sul rosaio si attarda una polla di luce chiara. Archie Lee con una specie di solennità religiosa*) E se gli viene una di quelle malattie croniche che non finiscono mai, e che si curano con la morfina? Dice che la morfina costa un occhio della testa.

BABY DOLL Certe con la morfina vanno avanti all'infinito.

ARCHIE LEE E dosi forti!

BABY DOLL Altro! prendono dosi fortissime.

ARCHIE LEE Metti che la vecchia si rompa una gamba o qualche cosa per cui ci voglia morfina.

BABY DOLL Il resto dei parenti dovrà darci un aiuto.

ARCHIE LEE Sí, spillagli un soldo a tuo fratello Jim! O a Susie, o a Tom o a Bunny! Tutti attaccati ai loro quattrini, spremono ogni soldo fino a cavarne sangue.

BABY DOLL Non ne hanno molti e quelli che hanno se li tengono cari.

ARCHIE LEE Senti, guarda, se succede, se le viene un colpo e ci muore qui, te lo avverto, guarda... (*si alza pesantemente e sputa fuori del portico*) ... io la faccio bruciare e le ceneri le chiudo in una bottiglia di coca cola... (*ripiomba a sedere*) ... se i tuoi parenti non cacciano i quattrini della bara! (*Zia Rosa, colte alcune rose, si avvicina con passo incerto alla casa*). Eccola di ritorno. Diglielo adesso.

BABY DOLL Che gli dico?

ARCHIE LEE Che ha finito la villeggiatura.

ZIA ROSA (*ancora a una certa distanza*) Bambini, ammirate!

ARCHIE LEE Parli tu?

ZIA ROSA Bambini, ammirate questi capolavori della natura!

ARCHIE LEE O parlo io?

BABY DOLL Taci, glielo dirò io.

ARCHIE LEE Allora diglielo subito, e senza tante chiacchiere.

ZIA ROSA (*ormai vicina al portico*) Ma guardatele, bambini miei, ma ammiratele, non sono capolavori della natura? (*Ma i «bambini» fissano insolentemente non i fiori ma il viso di zia Rosa colmo di bizzarra beatitu-*

dine. Ella ride in modo tremulo e si volta a Archie Lee per un attacco frontale) Archie Lee, non sono veri capolavori della natura?

Egli grugnisce e si alza, e passando dietro a Baby Doll dà un calcio alla sedia per ricordarle il da fare. Baby Doll si schiarisce la gola.

BABY DOLL (*con un certo imbarazzo*) Sí, zia Rosa, sono capolavori della natura, certo, nessuno lo mette in dubbio. E, zia Rosa, giacché ci siamo, vieni qui un momento: ti devo parlare.

Zia Rosa s'era allontanata dal portico, come spinta da un presentimento. Si ferma, con le spalle al portico e la paura nel volto. È una paura familiare, una paura che ormai le si è infiltrata nelle ossa, ma che ciononostante le riesce sempre nuova.

ZIA ROSA Di che, tesoro? (*Si volta lentamente*) C'è una cosa che vi tormenta, bambini, io lo so. Non ho bisogno della chiromante: me ne accorgo da sola. Siete rimasti scontenti tutti e due della cena. Non è cosí, Baby Doll? La cicoria non era cotta abbastanza. Credi che non lo sappia? (*Il suo sguardo passa dalla faccia di Baby Doll alla schiena di Archie Lee con una risatina incerta*) Che scherzo m'ha fatto il mio fornello: io credevo che fosse acceso e invece è rimasto continuamente...

BABY DOLL Zia Rosa, vuoi metterti un po' a sedere in modo da fare quattro chiacchiere in pace?

ZIA ROSA (*con una nota isterica*) Non voglio sedermi, non voglio sedermi, posso benissimo parlare in piedi! Ti alzi, ti siedi, è piú una fatica che altro! Dunque, che c'è, tesoro? Appena messe queste nell'acqua, vado a accendere il mio fornello e preparo a voi due bambini qualche uovo in cassetta. Eh, hai sentito, Archie Lee, figlietto?

ARCHIE LEE (*villano, con le spalle voltate*) Non le voglio, le uova in cassetta.

BABY DOLL Né lui né io vogliamo le uova in cassetta. Ma, giacché ci siamo, zia Rosa, ecco... Archie Lee si domandava, e me lo domandavo anch'io...

ZIA ROSA Che cosa, Baby Doll?

BABY DOLL Be', che intenzioni hai...

ZIA ROSA Intenzioni?

BABY DOLL Sí, intenzioni, progetti.

ZIA ROSA Che progetti, Baby Doll?

BABY DOLL Progetti per l'avvenire, zia Rosa.

ZIA ROSA Oh, l'avvenire! No... no, quando una vecchia signorina arriva quasi a cent'anni, che progetti vuoi che abbia per l'avvenire? Tante volte mi sono posta quella domanda, ma non ho mai avuto dubbi!... (*La sua voce si spegne e giunge un accenno di musica mentre lei volta le spalle al portico*) Gesú non mi ha dimenticata! No, il mio Salvatore Divino non ha dimenticato la mia esistenza! L'ora, Baby Doll, è ignota a me e a te, ma non a Lui: quando l'ora verrà, Egli mi chiamerà. Scenderà un vento che mi solleverà e mi porterà via! Come fa con le rose quando diventano come me...

La musica svanisce ed ella si volge di nuovo al tribunale schierato sul portico.

BABY DOLL (*schiarendosi nuovamente la gola*) Va benissimo credere in Gesú, zia Rosa, ma non dobbiamo dimenticare che Gesú aiuta piú che altro coloro che... insomma... che si aiutano!

ZIA ROSA Oh, questo lo so, Baby Doll! (*Ride*) L'ho imparato in fasce, devo averlo imparato ancor prima di nascere! Eppure, in quale momento della mia vita sono rimasta sola, senza aiuto? Sulle dita, potrei contare i giorni che sono stata malata! Il mio Salvatore Divino m'ha conservata attiva e sana, sana e attiva, sí, me ne vanto, l'età non mi ha ridotta un cerotto! E quando verrà per me l'ora di reclinare la testa sulla Sua spalla, io...

Archie Lee si volta villanamente.

ARCHIE LEE Tutte queste storie su Cristo e sulla cicoria poco cotta eccetera eccetera non hanno niente a che fare colla situazione! Stammi a sentire, zia Rosa...

BABY DOLL (*alzandosi*) Archie Lee, vuoi star zitto un minuto?

ARCHIE LEE E allora di' tu! E parla! E senza tanti peli sulla lingua!

BABY DOLL C'è modo e modo di discutere di una cosa!

ARCHIE LEE Senti, veniamo ai fatti e piantiamola di mettere sempre Cristo fra i piedi! C'è Susie, c'è Jim, c'è Tom e Jane e c'è Bunny! E se nessuno di questi garba alla signora, ci sono nella regione altre case che la potranno ospitare! Non ha che l'imbarazzo della scelta. Domani mattina a buon'ora carico le sue cose in macchina e la scarrozzo dove le fa piú comodo! Non è semplice e chiaro, cosí, senza tanti peli sulla lingua? Zia Rosa non è una stupida. Ha contato le stanze di questa casa! Lo sa che io sono nervoso, che lavoro, e che un lavoratore deve nutrirsi! E che la casa è di chi è padrone, e che chi è padrone fa quello che gli pare in casa sua! Oh, Dio Santissimo, se questo non è il modo piú semplice, chiaro e lampante di sistemare la questione, allora io me ne lavo le mani e arrangiatevi un po' voialtre donne a parlarne fra voi! Sissignore, io... porco D... io... (*Si precipita in casa sbattendo la porta*).

Segue una lunga pausa durante la quale Baby Doll fissa penosamente lo sguardo nel vuoto, e zia Rosa contempla la porta.

ZIA ROSA (*come conclusione*) Credevo che a voi bambini piacesse la mia cucina.

Un crepuscolo blu s'è coagulato in cortile. Zia Rosa si allontana dal portico e si sente un motivo di musica. La musica annega nei miagolii del vento che di colpo diventa feroce. Baby Doll si alza dalla sua sedia di vimini.

BABY DOLL Archie Lee, Archie Lee, aiutami a portar dentro le sedie prima che volino! (*Trascina la sua sedia accanto alla porta*) Senti, che ciclone si prepara! Tienimi un po' aperta la porta! Tira dentro quell'altra! Adesso questa! Sarà meglio che scendiamo in cantina! (*Come se le venisse in mente ora*) Zia Rosa, entra dentro, cosí chiudiamo la porta! (*Zia Rosa scuote adagio la testa. Poi alza gli occhi al cielo, sopra e di là dal proscenio, dove qualcosa di funesto si sta addensando. Baby Doll dall'interno della casa*) Fa' entrare zia Rosa!

ARCHIE LEE (*sulla porta*) Non si muove, la vecchia testarda!

La porta sbatte e si chiude. Il miagolio di gatto arrabbiato si muta in un boato distante che rapidamente s'approssima. Ma zia Rosa resta in cortile, il volto ispirato a meditazioni cupe ma tranquille. Il floscio cotone grigio della veste comincia a sbattere e a sferzare le linee scheletriche della sua figura. Ella interroga il cielo, poi la casa che il buio inghiotte man mano, poi di nuovo il cielo, dal quale il buio scende con la stessa espressione impavida e insieme smarrita negli occhi. Nel cervello, nipoti e pronipoti e cugini le passano innanzi come fogli di album sfogliati rapidamente: alcuni amati come figli ma nessuno realmente figlio e tutti stranamente indifferenti all'abnegazione e all'affetto da lei cosí generosamente elargiti; come se ogni volta lei avesse offerto le sue braccia piene di rose, e nessuno mai avesse porto un vaso in cui accoglierle. La sciarpetta grigia le vola dal collo. Lei fa un gesto goffo e cade in ginocchio. Sfuggono alle braccia le rose, che ella rincorre debolmente. Ne raccoglie una o due, le altre, se le porta il vento. Lotta per rimettersi in piedi. Il crepuscolo blu si fa viola, e il viola nero e il boato sopraggiunge con la violenza di una locomotiva mentre il vento spinge il corpo di zia Rosa verso il rosaio.

PROIBITO

Titolo originale *This Property is Condemned*

PERSONAGGI

Willie bambina
Tom ragazzo

Terrapieno ferroviario alla periferia di una cittadina del Mississippi in una di quelle mattine d'inverno lattiginose cosí frequenti da quelle parti. L'aria è umida e pungente. Dietro il basso terrapieno dei binari si innalza una gran casa gialla di legno, tragicamente vuota. Alcune finestre superiori sono chiuse con tavole, una parte del tetto è crollata. Il panorama è piatto. Sul fondo a sinistra un cartello spiega: BIRRA E GIN; qualche palo telefonico e pochi alberi spogli. Il cielo è un gran latte candido. Qualche corvo di tanto in tanto manda un suono di stoffa lacerata con violenza.

La bambina, che si chiama Willie, avanza su una rotaia tenendosi in un equilibrio instabile con le braccia aperte, di cui una tiene stretta una banana, l'altra una bambola straordinariamente malridotta con una scarmigliata parrucca bionda. È un'apparizione impressionante... magra come uno stecco e spaventevolmente bardata di vecchi orpelli. Indossa un abito lungo da sera di velluto blu con un colletto sporco di trina color crema e una collana di strass luccicanti. Ai piedi ha un paio di scalcagnati sandali d'argento con vistose fibbie decorative. I polsi e le dita le brillano di gioielli di vetro. Si è goffamente imbrattata il viso infantile di rossetto e le labbra sono assurdamente conciate ad arco di Cupido. Non ha piú di tredici anni e, nonostante il trucco, le rimane addosso qualcosa di inesorabilmente infantile e innocente. Ride spesso e sfrenatamente, con una specie di precoce, tragico abbandono. Il ragazzo, Tom, di poco piú grande, la contempla dai piedi del terrapieno. Indossa calzoni di velluto a coste, una camicia blu e un maglione. Ha in mano un aquilone di carta rossa con una vistosa coda infiocchettata.

TOM Ciao. Chi sei?

WILLIE Non mi parlare prima che casco! (*Avanza vertiginosamente. Tom assiste con muto incantamento. Le oscillazioni di lei si fanno sempre piú larghe. Parla trattenendo il fiato*) Prendimi... Testa Matta... per favore?

TOM (*arrampicandosi sul terrapieno*) Da'.
WILLIE Se no... la rompo... quando cado! Non resisterò... molto... ancora... che ne dici?
TOM No.
WILLIE Ah lo perdo... lo perdo... l'equilibrio... lo perdo! (*Tom si offre di aiutarla*). No, non mi... toccare. Se no... non vale. Bisogna... riuscirci... da soli!... Dio, scivolo! Non so... perché... devo essere... cosí nervosa!... Vedi quel serbatoio laggiú in fondo?
TOM Be'?
WILLIE Di lí... sono... partita... È il massimo... che ho fatto... senza mai... cadere. Cioè, se riesco... a arrivare fino... a quel palo là! Oh! Patapumfete! (*Perde completamente l'equilibrio e precipita dal terrapieno*).
TOM (*ora contempla dall'alto*) Ti sei fatta male?
WILLIE Un po' scorticato il ginocchio. Meno male che non ho messo le calze di seta.
TOM (*scendendo dal terrapieno*) Sputaci, cosí non brucia.
WILLIE Già.
TOM Cosí si curano le bestie, sai. Leccandosi le ferite.
WILLIE Lo so. Chi ci ha rimesso di piú è il mio braccialetto. Ho fatto saltare un diamante. Dove sarà?
TOM E come lo trovi fra tutto questo carbone?
WILLIE Non lo so. Brillava molto.
TOM Non era un vero diamante.
WILLIE Che ne sai?
TOM Ci vuol poco. Se no non te ne andresti a spasso su un binario di ferrovia con una bambola sbrindellata e un pezzo di banana marcia.
WILLIE Uh, e chi te lo dice? Potrei essere un tipo strano. Non si sa mai. Come ti chiami?
TOM Tom.
WILLIE Io Willie. Tutti e due abbiamo un nome da maschio.
TOM Come mai?
WILLIE Aspettavano un maschio, quando sono nata io. Avevano già una bambina. Alva. Mia sorella. Perché non sei a scuola?
TOM Speravo che ci fosse vento per far andare l'aquilone.

WILLIE E che cosa te lo faceva sperare?
TOM Il cielo era cosí bianco.
WILLIE È un segno?
TOM Già.
WILLIE Capito. Sembra che l'abbiano spazzato con una scopa. Vero?
TOM Già.
WILLIE È bianco, proprio. Come un foglio di carta pulita.
TOM Mmm... mmm.
WILLIE Ma il vento non soffia.
TOM Macché.
WILLIE È troppo in alto per sentirlo. In alto in alto, in soffitta, a far la polvere ai mobili che ci sono lassú.
TOM Eh... eh. E tu, perché non sei a scuola?
WILLIE L'ho lasciata. Due anni fa quest'inverno.
TOM Che classe facevi?
WILLIE La quinta A.
TOM La signorina Preston.
WILLIE Già. Credeva sempre che avessi le mani sporche, finché non le ho spiegato che era carbone, a furia di cadere dai binari.
TOM È severa?
WILLIE Oh, no, è acida perché non ha trovato marito. Non gliene sarà capitato mai uno, poveraccia. Cosí le tocca insegnare in quinta A per tutta la vita. Cominciavano a insegnare l'algebra e siccome io me ne strafottevo abbondantemente di tutti gli *x* uguale, cosí, tanti saluti.
TOM Non ti educherai andando a spasso sui binari.
WILLIE Neanche tu col tuo aquilone. E poi...
TOM Cosa?
WILLIE A una ragazza serve saper stare in società. Io quello l'ho imparato da mia sorella Alva. Era molto ricercata tra i ferrovieri.
TOM Macchinisti?
WILLIE Macchinisti, fuochisti, frenatori. Anche il capostazione merci. Avevamo una pensione per ferrovieri. Lei era... come ti si potrebbe dire... « Il Numero

Principale ». Bella? Dio mio come un'attrice del cinema!

TOM Tua sorella?

WILLIE Sí. Uno le portava sempre, dopo ogni viaggio, una enorme scatola a forma di cuore, di seta rossa, con cioccolatini assortiti e noci e caramelle. Che meraviglia, eh?

TOM Certo.

Giunge il gracidare dei corvi attraverso l'aria pungente.

WILLIE Sai dove è Alva adesso?

TOM A Memphis?

WILLIE No.

TOM A New Orleans?

WILLIE No.

TOM A St Louis?

WILLIE Non lo indovini mai.

TOM E dove è?

Willie non risponde subito.

WILLIE (*solennemente*) In compagnia dei vermi.

TOM Cosa?

WILLIE (*violentemente*) In compagnia dei vermi, al cimitero, al camposanto. Mi capisci quando parlo?

TOM Sí. È un po' forte.

WILLIE Non ne hai la piú pallida idea, carino mio, di come ce la siamo spassata in quella casa gialla, ai bei tempi.

TOM Sí, eh?

WILLIE Dalla mattina alla sera.

TOM Strumenti? Che strumenti?

WILLIE Pianoforte, grammofono, chitarra hawaiana. Chi suonava a destra, chi suonava a sinistra. Mentre adesso... un gran silenzio. Senti qualche rumore, tu, di là?

TOM Macché. È vuota?

WILLIE Soltanto io ci sto. Ci hanno attaccato un gran cartello.

TOM Che dice?

WILLIE (*forte ma impuntandosi un poco*) L'ACCESSO È PROIBITO.

TOM Non abiterai mica qui, ancora!

WILLIE Mmm... mm.

TOM E gli altri? Che è successo? Dove sono andati a finire?

WILLIE Mamma scappò con un frenatore della Centro-Sud. Dopodiché, a carte quarantotto. (*Un treno fischia lontano*). Senti quel fischio? È l'Espresso Razzo. La cosa piú veloce che corra tra St Louis, New Orleans e Memphis. Mio padre si mise a bere.

TOM E dov'è adesso?

WILLIE Sparito. Forse dovrei denunciarlo all'Ufficio Dispersi. Come fece lui quando mamma sparí. Quindi restammo io ed Alva. Alva si ammalò ai polmoni. Hai visto Greta Garbo nella *Signora delle camelie*? Lo diedero all'Eden Delta la primavera scorsa. Aveva la stessa malattia di cui morí Alva, tbc.

TOM Ah, sí?

WILLIE Solo che, come l'aveva lei era bellissimo. Sai. I violini suonavano. E fasci, fasci di fiori bianchi. E tutti i suoi innamorati tornano da lei in una bellissima scena.

TOM Ah, sí?

WILLIE Quelli di Alva sparirono tutti.

TOM Ah, sí?

WILLIE Come i topi dalla nave che affonda. Questa era la sua espressione. Oh, non è morta come al cinematografo.

TOM Ah, no?

WILLIE Diceva: « Dov'è Alberto? Dov'è Clemence? » Neanche uno ce n'era. Io dicevo qualche bugia: « Ti fanno tanti saluti. Domani vengono a trovarti ». « Dov'è il signor Johnson? » mi domandava. Era il capostazione merci, l'ospite piú importante che abbiamo mai avuto nella nostra pensione. « È stato trasferito a Greenada, – le dicevo, – ma vuole che tu lo ricordi ». Lei sapeva che era una bugia.

TOM Ah, sí?

WILLIE « Questo è il ringraziamento, – diceva. – Scappati tutti come i topi da una nave che affonda ». Tranne Sidney.

TOM Chi è Sidney?

WILLIE Quello che le portava lo scatolone di seta rossa, pieno di cioccolatini.

TOM Oh!

WILLIE Lui le rimase fedele.

TOM Meno male!

WILLIE Ma lei non lo poteva vedere. Diceva che aveva i denti guasti e che gli puzzava il fiato.

TOM Oh.

WILLIE Non è morta come al cinematografo. Quando uno muore al cinematografo, suonano i violini.

TOM Quando morí Alva no?

WILLIE Macché. Nemmeno un vecchio grammofono. Dice che era contrario al regolamento dell'ospedale. Cantava sempre per casa.

TOM Chi? Alva?

WILLIE Avessi visto le feste che dava! Questo era il suo numero preferito. (*Chiude gli occhi e apre le braccia, simulando il rapimento delle cantanti professioniste di « blues ». La sua voce è straordinariamente alta e pura, di un timbro precocemente drammatico*)

Sei la stella, bella,
Del mio fir...mamento
E risplendi sol
Per me!

Il vestito che porto è suo. L'ho ereditato da lei. Tutto quello che era di Alva è mio. Tranne il collier di oro zecchino.

TOM Che fine ha fatto?

WILLIE Quello? Non se l'è mai levato.

TOM Oh!

WILLIE Ho ereditato anche tutti gli innamorati di mia sorella. Alberto, Clemence, e anche il capostazione merci.

TOM Ah!

WILLIE Se l'erano data a gambe. Forse dalla paura di pagare le spese. E adesso si rifanno vivi, tutti quanti, come le monete false. La sera mi portano di qua e di là. Devo darmi da fare, adesso. Alle feste, ai balli, a tutti i trattenimenti della ferrovia. Guarda!

TOM Cosa?

WILLIE So fare la danza del ventre! (*Gli si alza davanti e gli dimena la pancia sotto il naso in una serie di ancheggiamenti frenetici*).

TOM Dice Frank Waters che...

WILLIE Che?

TOM Lo sai.

WILLIE So cosa?

TOM L'hai portato dentro e hai ballato per lui, senza niente addosso.

WILLIE Oh! I capelli di Testa Matta hanno bisogno di uno sciampo. Ma ho paura di lavarli, le si può scollare la testa dove ha avuto quella frattura al cranio. Deve esserle schizzato via tutto il cervello. Da allora si comporta come una scema. Le cose che dice, le cose che fa!

TOM Perché non lo fai anche con me?

WILLIE Cosa? Incollare le tue fratture?

TOM No. Quello che hai fatto con Frank Waters.

WILLIE Perché allora ero sola e adesso non sono piú sola. Anzi dillo pure a Frank Waters. Digli che ho ereditato tutti gli innamorati di mia sorella. Sono fidanzata con uomini che hanno posti di responsabilità. Il cielo è proprio bianco. Vero? Bianco come un foglio di carta pulita. In quinta A facevamo disegno. La signorina Preston ci dava un foglio bianco e ci diceva di disegnare quello che volevamo.

TOM Tu che disegnavi?

WILLIE Una volta, mi ricordo, le portai mio padre messo K O da una bottiglia. Le piacque tanto, alla signorina Preston, disse: « Oh, guarda che bel ritratto di Charlot, con la bombetta sulle ventitre! » Io dissi: « Oh, no, quello non è Charlot, è mio padre, e quella non è la bombetta, è una bottiglia ».

TOM E lei?

WILLIE Oh, che vuoi farci. Non pretenderai che una maestra si metta a ridere.

Sei la stella, bella,
Del mio fir...mamento...

Il preside diceva sempre che l'atmosfera di casa mia non gli andava giú perché alloggiavamo i ferrovieri e qualcuno di loro dormiva con mia sorella.

TOM Dormivano con tua sorella?

WILLIE Come le mosche e il miele. Adesso sí che è vuota la casa.

TOM Non continuerai a abitare lí, spero.

WILLIE Come no.

TOM Da sola?

WILLIE Già. Non sarebbe permesso ma lo faccio. L'accesso è proibito ma non si sta male. Ieri è venuta una ispettrice della provincia a sficcanasare. L'ho riconosciuta dalla forma del cappello. Non era certo alla moda.

TOM Ah no?

WILLIE Pareva una caffettiera scoperchiata. Alva sí che se ne intendeva di moda. Il suo sogno era diventare disegnatrice per qualche grande ditta di Chicago. Provò a mandare disegni. Ma non ce la spuntò mai.

Sei la stella, bella,
Del mio firmamento...

TOM E come hai fatto? con l'ispettrice?

WILLIE Oh, mi sono nascosta in soffitta. Ho fatto finta che in casa non ci fosse nessuno.

TOM E come te la cavi per mangiare?

WILLIE Oh, non lo so. Se guardi bene intorno trovi sempre qualchecosa per terra. Per esempio questa magnifica banana. Buttata, cosí, in un cesto di immondizia dietro il Bar del Pappagallo. (*Finisce la banana e butta la buccia*).

TOM (*sogghignando*) Già. La signorina Preston per esempio.

WILLIE No, lei no. Lei ti dà un foglio di carta bianca e dice: « Disegna quello che vuoi! » Una volta disegnai il ritratto di... oh, ma questo te l'avevo già detto, no? Vuoi fare un'ambasciata a Frank Waters?

TOM Che cosa?

WILLIE Digli che il capostazione merci mi ha comprato

un paio di sandali di vitello. Di marca. Come quelli vecchi di Alva. Andrò a ballare con quelli alla Casina del Lago. Ballerò tutta la notte e tornerò a casa la mattina, ubriaca! Faremo serenate con tutti gli strumenti. Trombette e tromboni. E chitarra hawaiana! Ah! sí! (*Si alza eccitata*) E il cielo sarà bianco come adesso!

TOM (*colpito*) Ah?

WILLIE Sí-í-í. (*Sorride vagamente e si volta lenta verso il ragazzo*) Bianco... come un foglio di carta pulita... (*di nuovo eccitata*) ... e l'userò... per disegnare!

TOM Disegnare?

WILLIE Vedrai!

TOM Che disegnerai?

WILLIE Me mentre ballo! Con il capostazione merci! Con un paio di sandali di vitello! Sí! Sí! Con i tacchi alla francese, alti come i pali del telegrafo! E suoneranno la mia canzone preferita!

TOM La tua canzone?

WILLIE Sí! quella di Alva. (*Trattenendo il fiato, appassionatamente*)

Sei la stella, bella,
Del mio fir...mamento...

E poi...

TOM Cosa?

WILLIE Mi metterò il «bouquet»!

TOM Che cos'è?

WILLIE Fiori che si appuntano sul vestito quando si va ad una festa importante! Boccioli di rosa! violette! mughetti! Quando torni a casa sono appassiti, non hai che da metterli in una brocca d'acqua per rinfrescarli.

TOM Già già.

WILLIE Alva faceva cosí. (*Pausa, fischio del treno*). L'Espresso Razzo...

TOM Ci pensi molto ad Alva? no?

WILLIE Oh no, non molto. Ogni tanto. Non è morta come al cinematografo. Gli innamorati sparirono. E non le fecero suonare il violino. Adesso torno indietro.

TOM Dove, Willie?

WILLIE Al serbatoio.

TOM Ah, sí?

WILLIE E ricomincio. Chissà che non batta qualche record di resistenza come fece Alva ad una maratona di ballo a Mobile, passato il confine, in Alabama. Questo che ti ho detto se vuoi, puoi anche dirlo a Frank Waters. Non posso perdere il tempo con sbarbatelli senza esperienza. Adesso esco con ferrovieri, gente conosciuta, che guadagna un tanto al mese. Non mi credi?

TOM No. Stai raccontando un sacco di frottole.

WILLIE Sai cosa ci metto a provartelo! Ma figurati se vale la pena convincere te! (*Accarezza i capelli di Testa Matta*) Vivrò per molto tempo come mia sorella. E quando avrò la tbc morirò come lei... forse non come al cinematografo al suono dei violini... ma con i miei orecchini di perle e la mia collana d'oro di Memphis...

TOM Ah sí?

WILLIE (*esaminando Testa Matta con aria critica*) E allora forse...

TOM Cosa?

WILLIE (*con gaiezza, impuntandosi leggermente*) Qualche altra erediterà tutti i miei innamorati. Il cielo è proprio bianco.

TOM Davvero.

WILLIE Bianco come un foglio di carta pulita. Torno indietro.

TOM Ciao!

WILLIE Ciao. (*Si allontana lungo i binari, ondeggiando grottescamente per mantenere l'equilibrio. Scompare. Tom si bagna il dito e lo tiene alzato per provare il vento. Si sente Willie cantare in lontananza*)

Sei la stella, bella,
Del mio firmamento...

(*C'è un silenzio. La scena comincia a oscurarsi*).

E risplendi sol
Per me!

Sipario.

Indice

Stampato per conto della Casa editrice Einaudi
presso la Libropress s.r.l., Castelfranco V.to (Treviso)

C.L. 7484

Ristampa	Anno
9 10 11	2002